名家写生 姚鸣京写生集

主编：岳增光

天津人民美术出版社

丛书主编：岳增光
责任编辑：马　超

图书在版编目(CIP)数据

名家写生．姚鸣京/姚鸣京绘、——天津：天津人民美术出版社，2004
ISBN 7-5305-2553-0

Ⅰ.名...　Ⅱ.姚...　Ⅲ.写生画－作品集－中国－现代　Ⅳ.J224

中国版本图书馆 CIP 数据核字(2004)第 050918 号

名家写生

姚鸣京写生集

天津人民美术出版社出版发行
天津市和平区马场道 150 号
出版人：刘建平
邮编：300050　电话：(022)23283867
北京雅昌彩色印刷有限公司制版
北京经纬印刷厂印刷
新华书店经销
2004 年 10 月第 1 版　2004 年 10 月第 1 次印刷
开本：1194 × 1194 毫米　1/12
印张：3　印数：0001-3050
ISBN 7-5305-2553-0/J·2553
定价：36.00 元

山水梦境

■姚鸣京

■与卢先生在海南岛，右起申少君、卢沉、姚鸣京

■ 90年代末带中央美院国画系进修生在嶂石岩写生

■与中央美院学生在京郊山区写生

■山中写生时晚上和学生一道作教学总结

■1990年带中央美院中国画系学生在河南白马寺途中

自古人人皆有梦。梦得真实，梦得虚幻，梦得出生入死，梦得死来活去，一幕幕的梦陪着欢喜梦中、痛苦梦中的中国人一睡就是好几千年。据国际友人评论，说中国人的梦正在醒，又有人说中国人的梦已经醒。

现实中有一句关于梦的说法，叫做“梦想成真”，说是社会上的成功人士，终有一天幻梦成就了现实。我从心里九千九百次地祝福和祝愿如此造化的幸运者。不过据本人所知：李后主掉进枯井的当时和事后，梦始终没有成真。陆游立誓死后让自己的家人把成真的“梦”，转告在九泉之下的他老人家。李白是拼死性情地跃入水中，圆成了自己最后的梦境。而苏东坡和曹雪芹的梦只能是过眼的烟云。辛弃疾也只能在梦里“马踹连营”、“挑灯看剑”。石涛和八大的泪点多于墨点，谁能说清是梦中的泪点和纸上的泪点不是同一个梦境呢？

也许有一天当真人的梦醒来，方知梦乃真境，而醒着到来的却是人生中最虚假、最不真实的梦中。笔墨呢？情乃真也，画、笔、墨、意、境，皆为虚实相生之。交替变幻间，心能明、眼能亮、手能呼应，不易，不易也。难怪可染老人曰：“苦学派”，何人曰：“梦想成真”派呢？可染先生的梦依旧在那里传承。“东方既白”这个梦的成真正是吾辈切需毕生而努力的终生追求。而困于一个“苦”字的，是执着。破掉这个“苦”字的那是一种领悟，自由自在这个“苦”字的叫醒来。中国人的梦太多，只是自己不知。因为知者不言而不是无言。可染先生又言“以最大的功力打进去，以最大的勇气冲出来”，指的就是笔墨的梦境，不信，看一看醒过来的人。他如逢人便说，谁也不信。但如果醒来的人说他在傻乎乎的梦里面被傻子傻追了一夜，谁听了都会相信真的二傻从梦中醒来了。“梦进去”还必须“醒过来”。醒不过来，就永远傻在那里，有乐，有滋润，但也有更真实的就是苦、痛、哀、伤。

自己画笔墨刚刚二十多年有余。属于在傻的梦里被傻子狠命地“追杀”了到笔下。想想，原来是傻，现在还在傻中。既是都傻，何不和光同尘，黄粱共枕。万一有一日猛醒过来，肯定是畅畅快快地大笑。于是本人正走在山水之梦的山水之间。假的梦于我不在其中沉醉，真的梦不在梦中拒绝来回，笔墨的小船沉于梦的河流，梦的河流自由出笔墨江海的无形，美的心里乐滋滋的。所以，没事就到老师卢沉先生的家里听他讲中国的笔墨，地道纯正的真艺术。我深知只有在此时，我才于梦中醒来。因为我已听到耳畔轰雷般的“狮吼声”。也许就在这不久的某一天，雷神的“狮子吼”就会打开这“梦醒”的“天窗”。因为我已经看到醒

□海南岛渔村 32cm × 90cm 2000 年

过来的明白人就站在我的面前。

请允许我用卢沉先生的一段话作为本文下段的开篇:“我梦想融合中西，形成一种不拘一格、多种艺术手法都能为我所用的超现实画风。摆脱自然空间观念的束缚，构成理想的画面。……学习的目的是为了创造，而不是追随、模仿。独创必须别出心裁，不落前人窠臼。……从自己的生活基础出发，吸收古今中外与自己的个性、气质相吻合的营养，不要以某一个人为样板，一切要以我为中心，中得心源……自觉运用绘画原理，多种造型手段，创造奇特迷人的诗一样的画面。”前一辈的艺术家为我们踏出了万山荆棘中崎岖艰险的艺术之路。在烟云往复、日月交替的四季变幻中，作为四十不惑的中年人，可以踏踏实实地一吐自身真实的肺腑。在东西南北万山苍翠的怀抱中，在绝巘拔挺的大树前，一山山、一处处，随林梢攒动的枝头远远地衬映着更遥远的远山，在沉浮的白云之上，横出天边和苍穹的辽阔。从白云中轻轻地托起揖首山海的纵横。有一种未曾闻听过的声音从山的那边随着阳光向四野八方射散出来。光的迷幻，光的耀眼，更强烈的光，明亮过太阳多少的倍数，万山千林的形廓都化入晃动的摇曳中，恍惚接着恍惚，于山岩的深层里透出太阳黑子爆炸般的闪烁。刺眼中、掠拂着心灵洞澈般的光耀，辉煌出的莲花座上，皎然是菩萨的虚虚恍恍的身形。形中有形，幻中似景，景的明亮又拐出山路的蜿蜒，依稀中幻出幻入的是谁也说不清的奇异。

忽隐忽现的山中有一个个身形一样的身影，从哪里走过来，又从哪里走远去。认识的、也有似曾相识的，这不认识的为什么却有着相同一样明晰相似的面孔。为什么露出这样都是同样相同的笑容。人的身影行走着，而霞光竟透过万物照映着夕阳的温情，在紫色和白雾般的斜烟中，有一声遥远的钟声悠悠地荡过来，听到的，看到的，都在心中竖起山的影幢，巨岩排叠的高耸嵌出古塔的基石，静寂无声的微风在晚霞粲然的林间一阵阵地拂出那消失在遥远远方的记忆。慢慢地、静静地，聚成光，凝成明快而通透的清醒：何以山中有山，何以树在挪移，何以云在穿越，何以阳光中又冒出一个明亮，名叫月球的她，倒映在水影的涟漪里，似水顷银泻地般的洒出万顷银辉的月光，在穿梭粼粼光斑闪动的刹那，有什么东西似云中负载着双眼，细观着阳光辉映出山中端坐的老僧。为什么佛塔的山根有五官白面的白袍古人对坐清谈。亲切的声音，明明白白，为什么谈笑中，心里竟如此地朗朗明澈。面目呢？这样熟，是自己的我，为什么我却在看我自己的我正看我自己的我自己。他也在看着他自己的他自己看着正看着他自己的他自己。心还能交谈，画面外的能知能看的又是个什么？痴痴傻傻中什么人在自言自语。还是不是我自己的自己？光是从什么地方驰过来，又跑了远去。腾起的双盘坐，八面十方出虚空的虚空。虚空的当口，升起来了，又升起来了。转动的双目，偏偏又感觉出转动了全身，是什么向上看望去。是什么人在腾挂的空中坐观

虚空。耳边再度的风声呼啸，山水的云再度弥漫。静静的群山四野只有钟声的悠扬与远去落霞的寂静。有谁能在醒来的来世再度去重番亲身梦境山水的经历。扪心自问、扪心自省，山水的云自古没有来世，山水的风，自始从不解说人生的梦境。让智慧开启山水的笔墨，认人生平实山水的梦境，反观自省间，有声在心、在耳、在云、在十方的四野呼出遥远的沧桑，造化之间、云水之间，笔墨请留给我一个答案。人生，请展开山水桑田的画卷。走进去的，从没有真实的回答，走出来的笑面无声。

记得自己在上大本一年级的时候，秋天，全班在雨中登上了西岳华山，走到半山腰，进入了雨中登山，雨中一过又走进了云中，待得云开雨散，才发现云已在脚下，山也在脚下，人都在云上。透过云海，黄河竟在云海的下面，弯弯曲曲、时隐时现，似一条金色的长龙，深深地嵌在云下的远方。那种书中描写的神仙境界怎么就在自己的脚下伸展开去。走在云上，飘飘欲飞的通透感超越了所有书中、影视作品中所能用尽的所有的名词和感觉，任何语言也无法形容那种超然澄澈，也许就是那一次雨中的登山，云上的仙游，立定了自己山水笔墨一生的初衷。

后来在上大本三年级时我和同学张文华（《美术》杂志社）骑自行车到了苏州，一进苏州的园林，我俩的眼睛就亮了起来。也可以说是找到了一种感觉。一种从内心的醒悟与古人的智慧的相认、相神会的一种感觉，这种感觉的刻骨铭心不仅震撼，更比在课堂上所经历的同样是触动灵性深层和理智辨识的一种契合。当时，记得一下子，我俩画了许多的速写，根本用不着老师盯着、催着，在每一天、每一处古人留下的山水秘籍的园林庭院中。我俩似渴如饥地狂画起来。心和手由不自觉到慢慢自觉地与古人与传统交心、碰撞，不仅与古人对上了理法上的暗号，更于技巧的处理上互留了会心的密码。与古人对话，与传统文化交融，有一种古人就坐在对面，亲授机宜的坦然和轻松，那种写生实实在在地就是一种享受。是与古代大师和山水文化、山水观、山水人文思想精神的一次现场切磋，微妙处、静观中，古人以境造园，以物借景，以小观大，以实透虚，以虚透实的园林山水观。于潜移描画的反复中，意下会心，鬼差神使，自身的实践与古人之心的契合历经交流而达到一种心下的领悟和眼与手的神会。应该说：在自然中去读懂传统，在写生中去领悟文化，在造化中清理思路，在山水中立定精神，在体验中咀嚼古人，在笔墨中净化心灵，在饱游饫看的山水墨海中把清承传的主脉。在生死沉浮的人生舞台上澄怀性情。笔墨当代性的这一永久性的山水课题应成为我们笔墨人生永久的命题。

□湘北拔毛镇速写 44cm × 79cm 1998年

□南方小溪峪写生 28cm × 78cm 1995 年

□花石寨道中 44cm × 118cm 1994 年

□贵州石板岩道中 62cm × 82cm 1994 年

□秋意写生图 62cm × 86cm 1995 年

□青城山山门 60cm × 166cm 1999 年

□黔山道中 38cm × 120cm 1993 年

□碓臼峪村中写生 60cm × 166cm 2001 年

□碓臼峪写生 60cm × 166cm 2002 年

□天台山林外写生 42cm × 62cm 1997 年

□十渡黑风寨写生 42cm × 66cm 1998 年

□杭州灵隐寺写生 39cm × 54cm 1997 年

□富春江钓台写生 60cm × 83cm 1997 年

□黔东南山寨 42cm × 62cm 1996 年

□黔东道中 68cm × 146cm 1998 年

□十渡秋色写生 48cm × 135cm 1999 年

□大觉寺后山写生 60cm × 162cm 1999 年

大觉寺后山

□石桥图 68cm × 68cm

□西塘秋水图 68cm × 68cm

□京郊大觉寺写生 60cm × 84cm 2000 年

□青城山后山山峪写生 60cm × 84cm 2000 年

□京郊大觉寺写生 60cm × 148cm 2000 年

□京北碓臼峪写生 60cm × 168cm 2002 年

□临江古寺写生图 50cm × 58cm 2002 年

□青城前山写生 60cm × 112cm 2001 年

□沂蒙山大洼乡写生 60cm × 164cm 2000 年

□夕阳萧然旧庭院 68cm × 68cm

□青城山五龙沟道中写生 60cm × 84cm 2001 年

□青城后山秋谷 68cm × 68cm 2001 年

□昌平望宝川村写生 60cm × 84cm 1999 年

□碓臼峪山村写生 60cm × 86cm 2001 年

□碓臼峪雨后写生 60cm × 88cm 2002 年

□京郊秋韵写生 60cm × 248cm 2002 年

□碓臼峪村中写生 60cm × 166cm 2002 年

□平桥晚渡图 68cm × 136cm 2003年